Pour mon beau-père, Bill,
qui allait partout avec son super camion.

© 2016, *l'école des loisirs*, Paris,
pour l'édition en langue française.

© 2015, Stephen Savage
pour le texte et les illustrations.
Titre original: "Supertruck",
Neal Porter Book · Roaring Brook Press, New York, 2015.

Loi 49 956 du 16 juillet 1949,
sur les publications destinées à la jeunesse.
Dépôt légal: mars 2016
ISBN 978-2-211-22794-0

Typographie française: *Architexte*, Bruxelles
Imprimé en Italie par *Grafiche AZ*, Vérone

Stephen Savage

QUEL CAMION !

Pastel
l'école des loisirs

Dans la ville, il y a plein de super camions.

Le camion élévateur
répare les lignes électriques.

Le camion des pompiers éteint l'incendie.

Le camion remorqueur dépanne le bus.

Et le camion poubelle ?
Lui, il ramasse les ordures.

Mais ce soir,
il neige sur la ville.

Il neige un peu, beaucoup, sans arrêt.

La ville est paralysée par la tempête de neige.

Vite, le camion poubelle se faufile jusqu'au garage et se transforme en...

SUPERCAMION !

Supercamion déneige l'est de la ville.
Supercamion déneige l'ouest de la ville.
Supercamion déneige toute la ville.

Hourra pour Supercamion !

Le lendemain matin, tous les camions
cherchent l'incroyable camion
qui les a sauvés de la tempête.

Où est-il ?

Il ramasse les ordures, tout simplement.